BRASIL 100 palavras

GILLES EDUAR

com pesquisa de
MARIA GUIMARÃES

BRASIL 100 *palavras*

COPYRIGHT © 2014 BY GILLES EDUAR

*GRAFIA ATUALIZADA SEGUNDO O ACORDO ORTOGRÁFICO DA LÍNGUA
PORTUGUESA DE 1990, QUE ENTROU EM VIGOR NO BRASIL EM 2009.*

PROJETO GRÁFICO
MARIA EDUAR E MONIQUE SCHENKELS

CAPA
CAMILA NISHIYAMA

COMPOSIÇÃO
ELIS NUNES

REVISÃO
**VIVIANE T. MENDES
ANA LUIZA COUTO**

TRATAMENTO DE IMAGEM
M GALLEGO · STUDIO DE ARTES GRÁFICAS

Dados Internacionais de Catalogação na Publicação (CIP)
(Câmara Brasileira do Livro, SP, Brasil)

Eduar, Gilles
 Brasil 100 palavras / Gilles Eduar ; [ilustrações do autor]. –
1ª ed. – São Paulo : Companhia das Letrinhas, 2014.

 ISBN 978-85-7406-622-6

 1. Literatura infantojuvenil I. Título.

13-13043   CDD-028.5

Índices para catálogo sistemático:
1. Literatura infantil 028.5
2. Literatura infantojuvenil 028.5

13ª reimpressão

**TODOS OS DIREITOS DESTA EDIÇÃO RESERVADOS À
EDITORA SCHWARCZ S.A.
RUA BANDEIRA PAULISTA, 702, CJ. 32
04532-002 — SÃO PAULO — SP — BRASIL
☎ (11) 3707-3500
⬈ WWW.COMPANHIADASLETRINHAS.COM.BR
⬈ WWW.BLOGDALETRINHAS.COM.BR
🅕 /COMPANHIADASLETRINHAS
▣ @COMPANHIADASLETRINHAS
▶ /CANALLETRINHAZ**

• PARA OS POVOS ORIGINÁRIOS DESSA
TERRA QUE DERAM NOMES MARAVILHOSOS
À FAUNA E FLORA DO BRASIL

SUMÁRIO

AMAZÔNIA

PAISAGEM.. 8
BICHOS + PLANTAS + PALAVRAS.... 10
PARA SABER + ...12

CAATINGA

PAISAGEM.. 14
BICHOS + PLANTAS + PALAVRAS.... 16
PARA SABER + ...18

CERRADO

PAISAGEM.. 20
BICHOS + PLANTAS + PALAVRAS.... 22
PARA SABER + ... 24

PANTANAL

PAISAGEM 26
BICHOS + PLANTAS + PALAVRAS 28
PARA SABER + ... 30

MATA ATLÂNTICA

PAISAGEM 32
BICHOS + PLANTAS + PALAVRAS 34
PARA SABER + ... 36

PAMPAS

PAISAGEM 38
BICHOS + PLANTAS + PALAVRAS 40
PARA SABER + ... 42

MAPA DOS BIOMAS 44
BIOGRAFIAS 46

PEIXE-BOI

URUMUTUM

SAPINHOS VENENOSOS

PIRANHAS

JACARÉ-AÇU

ANACÃ

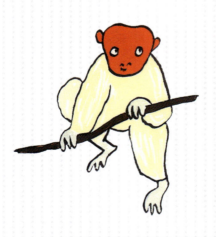
UACARI-BRANCO

TUCANUÇU

AÇAÍ

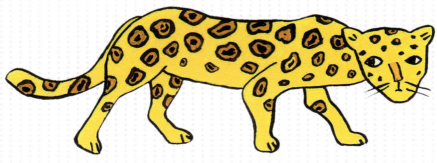
ONÇA-PINTADA

ARARACANGA

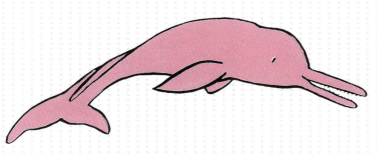
BOTO-COR-DE-ROSA

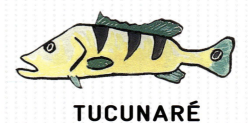
TUCUNARÉ

ARARAJUBA

A **AMAZÔNIA** É A MAIOR FLORESTA TROPICAL QUE RESTOU NO MUNDO. LÁ CHOVE TODOS OS DIAS E ESSA ÁGUA ALIMENTA OS RIOS QUE CORREM POR ALI, COMO O AMAZONAS.

GUARÁ

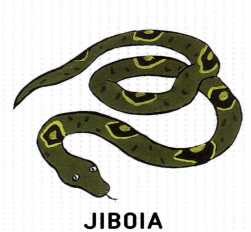
JIBOIA

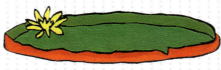
VITÓRIA-RÉGIA

SOIM-DE-COLEIRA

SAMAÚMA

AMAZÔNIA

A FLORESTA AMAZÔNICA É MUITO, MUITO GRANDE! QUANDO PASSAMOS POR CIMA DELA DE AVIÃO, VEMOS AQUELE TAPETE VERDE SEM FIM, CORTADO POR RIOS ENORMES QUE SERPENTEIAM DE UM LADO PARA O OUTRO. NAS ÉPOCAS EM QUE CHOVE MAIS, OS RIOS ENCHEM, E PARTE DA FLORESTA FICA ALAGADA. AS ÁRVORES SÃO IMENSAS, E SUAS COPAS FORMAM UM TETO LÁ NO ALTO QUE COBRE TUDO, DEIXANDO A FLORESTA MEIO ESCURA. O CHÃO, COBERTO DE FOLHAS, É MACIO. EXISTE UM NÚMERO INCONTÁVEL DE BICHOS E INSETOS QUE MORAM NA FLORESTA, POR ISSO LÁ DENTRO SE OUVEM MUITOS BARULHOS DIFERENTES. MAS ENXERGAR SEUS HABITANTES NÃO É MUITO FÁCIL!

01 **SAPINHOS VENENOSOS** · OS SAPINHOS VENENOSOS PODEM SER AZUIS, VERMELHOS, AMARELOS, LARANJA, VERDES... SEMPRE BEM COLORIDOS. MAS MUITO CUIDADO! A PELE DELES TEM UM VENENO MUITO FORTE QUE ALGUNS ÍNDIOS USAM NA PONTA DAS FLECHAS PARA CAÇAR.

02 **ARARACANGA** · PENSE NUMA ARARA. ELA É VERMELHA E BEM GRANDE? ESSA É A ARARACANGA, QUE TEM AS ASAS AZUIS COM UMA LISTRA AMARELA E MORA NA AMAZÔNIA. ELA APARECE NO PRIMEIRO MAPA DO BRASIL, FEITO EM 1502, POUCO DEPOIS DA CHEGADA DOS PORTUGUESES.

03 **VITÓRIA-RÉGIA** · A VITÓRIA-RÉGIA É UMA PLANTA QUE NASCE NA ÁGUA. AS FOLHAS FICAM BOIANDO E SE PARECEM COM UM PRATO GRANDE. SE VOCÊ CONSEGUISSE DEITAR SOBRE ESSAS FOLHAS DISTRIBUINDO BEM O SEU PESO, ELAS PODERIAM AGUENTAR. AS FLORES SÃO BRANCAS, ROSA, LILASES OU AMARELAS E SOLTAM UM PERFUME MUITO GOSTOSO.

04 **TUCANUÇU** · COM ESSE BICO TÃO GRANDE, O TUCANUÇU DEVE SER BEM CONVERSADOR... MAS NA VERDADE O BICO DELE SERVE PARA MUITAS COISAS: COLHER FRUTAS E CATAR INSETOS, CORTAR COISAS DURAS E, O QUE É MAIS CURIOSO, AJUDAR A ENFRENTAR O CALORÃO DA FLORESTA! É QUE O BICO DISPERSA O CALOR DO CORPO NO AR E ASSIM MANTÉM O TUCANUÇU FRESQUINHO.

05 **ONÇA-PINTADA** · A ONÇA-PINTADA É O MAIOR GATO DO BRASIL. É ÓTIMA CAÇADORA, É CRAQUE EM SUBIR EM ÁRVORES E SABE NADAR.

06 **URUMUTUM** · O URUMUTUM PARECE UMA GALINHA BEM GRANDONA QUE GOSTA DE CATAR FRUTINHAS PELO CHÃO. À NOITE, ELE CANTA!

07 **JACARÉ-AÇU** · O JACARÉ QUE MORA NA AMAZÔNIA É O MAIOR DO BRASIL, POR ISSO SE CHAMA JACARÉ-AÇU ("AÇU" QUER DIZER "GRANDE", EM TUPI). DEPOIS DE CAÇAR, ELE FICA DE PANÇA CHEIA E GOSTA DE TIRAR UMA SONECA.

08 **UACARI-BRANCO** · O UACARI-BRANCO É UM MACACO BEM ESQUISITO: É CARECA E TEM A CARA VERMELHA! ELE É PELUDO, ÀS VEZES BRANCO, ÀS VEZES RUIVO. PREFERE FICAR NO ALTO DAS ÁRVORES E SÓ DE VEZ EM QUANDO DESCE PARA O CHÃO.

09  **AÇAÍ** • O AÇAÍ É O FRUTO DE UMA PALMEIRA TÍPICA DA AMAZÔNIA. SÃO BOLOTAS ROXAS QUE FORMAM CACHOS NESSAS ÁRVORES, QUE PODEM SER MAIS ALTAS QUE UMA CASA DE DOIS ANDARES. IMAGINE COMO DEVE SER DIFÍCIL SUBIR NO AÇAIZEIRO, QUE NÃO TEM GALHOS, PARA PEGAR OS AÇAÍS!

10 **SOIM-DE-COLEIRA** • O SOIM-DE-COLEIRA É PEQUENO E BEM RARO: VIVE PERTO DE MANAUS, ONDE AS FLORESTAS ESTÃO DESAPARECENDO. ISSO É UM PROBLEMA PARA ESSE MACAQUINHO DE CARA PRETA...

11  **PIRANHAS** • AS PIRANHAS TÊM UM MONTÃO DE DENTES E MORDEM COM VONTADE QUANDO ESTÃO COM FOME. MELHOR NÃO NADAR NOS RIOS ONDE ELAS VIVEM...

12 **SAMAÚMA** • A ÁRVORE ENORME QUE DÁ ABRIGO A TANTOS BICHOS É A SAMAÚMA. AS RAÍZES, CHAMADAS SAPOPEMBAS, FORMAM PAREDES QUE AJUDAM A PLANTA A FICAR DE PÉ MESMO QUANDO TUDO ALAGA E O SOLO FICA BARRENTO E POUCO FIRME.

13  **ANACÃ** • O ANACÃ É UM PAPAGAIO BEM GRANDE, QUASE DO TAMANHO DE UMA ARARA. QUANDO ELE ARREPIA AS PENAS DA CABEÇA, ATÉ PARECE UM GAVIÃO. GOSTA DE COMER FRUTAS, QUE NA AMAZÔNIA TEM AOS MONTES.

14  **PEIXE-BOI** • ASSIM COMO AS VACAS, O PEIXE-BOI GOSTA DE PASTAR. ELE COME AS PLANTAS QUE NASCEM DEBAIXO DA ÁGUA E COSTUMA FICAR ESCONDIDO NO MEIO DELAS. É BEM DIFÍCIL ENXERGAR ESSES BICHÕES!

15 **JIBOIA** • A JIBOIA TAMBÉM GOSTA DE FICAR NA ÁGUA E PODE SER MUITO GRANDE. É UMA COBRA SEM VENENO QUE MATA SUAS PRESAS SE ENROLANDO EM VOLTA DELAS E AS APERTANDO COM MUITA FORÇA. O GUARÁ QUE SE CUIDE!

16 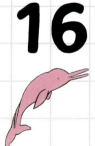 **BOTO-COR-DE-ROSA** • O BOTO-COR-DE-ROSA É UM GOLFINHO, MAS BEM DIFERENTE DAQUELES SALTITANTES QUE VEMOS NO MAR. ELES SÃO MAIS TRANQUILOS E COSTUMAM NADAR SOZINHOS PELOS RIOS AMAZÔNICOS, BEM DEVAGAR E SEM DAR PULOS PARA FORA DA ÁGUA.

17 **ARARAJUBA** • COM O CORPO AMARELO E ASAS DE PONTAS VERDES, A ARARAJUBA É BEM BRASILEIRA. GOSTA DE ANDAR EM BANDO, BATENDO PAPO COM OS AMIGOS E CATANDO FRUTAS NO ALTO DAS ÁRVORES. COMO OUTRAS ARARAS, PAPAGAIOS E TUCANOS, ELA FAZ NINHO EM TRONCOS OCOS.

18 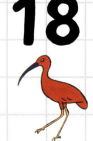 **GUARÁ** • ESSE GUARÁ ESTÁ MEIO PERDIDO. ELE GOSTA MESMO É DE FICAR NAS REGIÕES ONDE OS RIOS DESEMBOCAM NO MAR. ALI ENCONTRA OS CARANGUEJINHOS QUE ADORA COMER. SEM ESSA DIETA CAPRICHADA, SUAS PENAS PERDEM O LINDO VERMELHO.

19 **TUCUNARÉ** • O TUCUNARÉ É UM PEIXE QUE GOSTA DE ÁGUAS TRANQUILAS. POR ISSO, VAI PARA AS MATAS INUNDADAS NAS ÉPOCAS DE CHEIA. QUANDO FICA COM FOME, ELE PERSEGUE PEIXES MENORES ATÉ CONSEGUIR PEGÁ-LOS.

TAMANDUÁ-MIRIM

XIQUE-XIQUE

ASA-BRANCA

COM SEU SOLO SECO E SUAS PLANTAS ESPINHUDAS, A **CAATINGA** É TÍPICA DO NORDESTE BRASILEIRO, ONDE FICA O NOSSO SERTÃO. MAS O QUE QUASE NINGUÉM LEMBRA É QUE, QUANDO CHOVE (O QUE ACONTECE RARAMENTE), A CAATINGA SE ENCHE DE VERDE.

ACAUÃ

MANDACARU

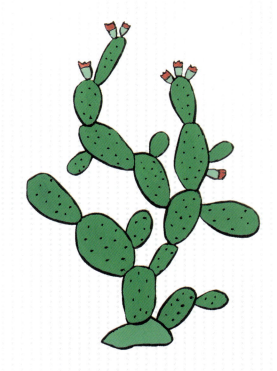
PALMA

TATU-BOLA

MACACO-PREGO

IGUANA

JEGUE

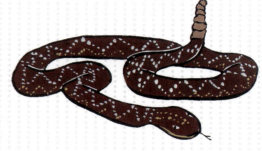
CASCAVEL

JOÃO-DE-BARRO

MOCÓ

JARATATACA

COROA-DE-FRADE

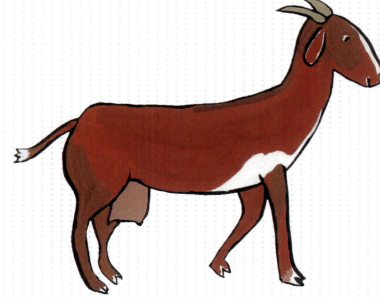
CABRA

CAROÁ

CAATINGA

OS BICHOS QUE MORAM NA CAATINGA PRECISAM ESTAR MUITO ACOSTUMADOS A VIVER COM POUCA ÁGUA. CERTOS SAPOS PASSAM QUASE O TEMPO TODO ENTERRADOS NA AREIA, CERTOS MACACOS SABEM USAR VARETAS PARA DESENTOCAR LAGARTOS ESCONDIDOS NAS PEDRAS E AS PLANTAS SE DEFENDEM NÃO SÓ COM ESPINHOS: MUITAS TÊM PELOS CHEIOS DE VENENO, QUE ARDE E COÇA MUITO QUANDO ENTRA EM CONTATO COM A PELE.

COMO TODOS OS TIPOS DE FLORESTA, A CAATINGA É UM ESCONDERIJO DE MARAVILHAS. VALE A PENA DESCOBRIR AS COISAS QUE SÓ EXISTEM POR LÁ.

20 XIQUE-XIQUE • O XIQUE-XIQUE É UM CACTO TÍPICO DA CAATINGA. TEM ESPINHOS FORTÍSSIMOS, MAS MESMO ASSIM MUITOS BICHOS COMEM SEUS FRUTOS: É QUE QUANDO PASSA MUITO, MUITO TEMPO SEM CHOVER, ELE É O ÚNICO QUE RESISTE, E ACABA VIRANDO A SALVAÇÃO DE QUEM TEM FOME E SEDE.

21 JOÃO-DE-BARRO • O JOÃO-DE-BARRO É UM PASSARINHO CONSTRUTOR. OS CASAIS USAM TERRA ÚMIDA PARA CONSTRUIR SUAS CAPRICHADAS CASINHAS REDONDAS, QUE TAMBÉM ESTÃO NAS CIDADES DE BOA PARTE DO BRASIL. NA CAATINGA, PRECISAM DE CHUVA, PORQUE SEM ÁGUA NÃO HÁ BARRO!

22 CABRA • A CABRA É UM BICHO DOMÉSTICO QUE VIVE EM MUITOS LUGARES DO MUNDO. NA CAATINGA, ELA É BEM COMUM, PORQUE EXISTE UMA RAÇA ESPECIAL QUE CONSEGUE VIVER NAQUELE CALOR E COM POUCA ÁGUA.

23 TATU-BOLA • O TATU-BOLA VESTE UMA ARMADURA NAS COSTAS. QUANDO SENTE ALGUM PERIGO, ELE SE ENROLA TODO E VIRA UMA BOLA PERFEITA, MAIS OU MENOS DO TAMANHO DE UMA BOLA DE FUTEBOL, E ASSIM CONSEGUE SE PROTEGER.

24 MOCÓ • O MOCÓ É UM ROEDOR, MAS NÃO TEM UM RABO COMPRIDO COMO OS RATOS. NA VERDADE, ELE É MAIS PARECIDO COM UM PORQUINHO-DA-ÍNDIA, E GOSTA DE MORAR NO MEIO DAS PEDRAS, QUE TAMBÉM SERVEM DE ESCONDERIJO.

25 JEGUE • O JEGUE É UM PARENTE DO CAVALO, MAS NÃO EXISTE SÓ NO SERTÃO. ELE FOI LEVADO PARA ESSA REGIÃO PORQUE É FORTE E AJUDA A CARREGAR QUALQUER COISA — ATÉ FILHOTES DE CABRA!

26 COROA-DE-FRADE • A COROA-DE-FRADE É MAIS UM TIPO DE CACTO. É BAIXINHA, TEM FORMATO DE BOLA E NO TOPO TRAZ UM DESENHO VERMELHO QUE PARECE UMA COROA, COMO SE FOSSE A CARECA DE UM FRADE — POR ISSO TEM ESSE NOME! NESSA PARTE VERMELHA NASCEM PEQUENAS FLORES.

27 MANDACARU • O MANDACARU É UMA DAS PLANTAS QUE VIVEM NA CAATINGA: UM CACTO ALTO, QUE ÀS VEZES CHEGA A SER DO TAMANHO DE UMA CASA DE DOIS ANDARES. AS FLORES BRANCAS E ENORMES SÃO MUITO BONITAS, E OS FRUTOS FAZEM A ALEGRIA DOS PASSARINHOS DO SERTÃO.

28 ASA-BRANCA • A ASA-BRANCA É UMA POMBA ESPECIAL, DIFERENTE DAQUELAS QUE SE VEEM NAS CIDADES. ELA EXISTE EM MUITOS LUGARES DO BRASIL, MAS FICOU FAMOSA NO SERTÃO POR CAUSA DA MÚSICA QUE CONTA A HISTÓRIA DE UMA SECA RADICAL QUE FEZ COM QUE ATÉ ELA FOSSE EMBORA. NA VERDADE, ESSA AVE É CINZA E MARROM, MAS QUANDO VOA (E PODE VOAR MUITO LONGE) É POSSÍVEL ENXERGAR A COR BRANCA EM UMA PARTE DE SUAS ASAS.

PARA SABER +

29 ACAUÃ • O ACAUÃ É UM TIPO DE GAVIÃO QUE GOSTA DE FICAR MUITO TEMPO POUSADO NOS GALHOS EM BUSCA DE UMA BOA REFEIÇÃO. DE MANHÃ E NO FIM DA TARDE, CANTA MUITO: "ACAUÃ-ÃÃÃ", "ACAUÃ-ÃÃÃ", "ACAUÃ-ÃÃÃ"...

30 MACACO-PREGO • O MACACO-PREGO É UM BICHO BEM ESPERTO: SABE USAR PEDRAS PARA QUEBRAR FRUTOS DUROS, VARETAS PARA CATAR BICHINHOS QUE GOSTA DE COMER E MUITO MAIS. OS MAIS JOVENS OLHAM COM ATENÇÃO O QUE OS ADULTOS FAZEM PARA APRENDER TUDINHO!

31 JARATATACA • QUANDO SE ASSUSTA, A JARATATACA SOLTA UM CHEIRO MUITO FEDIDO! É POR ISSO QUE ELA PODE ANDAR POR AÍ SOSSEGADA; QUEM É QUE VAI QUERER SE METER COM ELA?

32 PALMA • A PALMA É OUTRO CACTO. ELA TEM FORMATO ACHATADO, COMO SE FOSSEM VÁRIOS DISCOS OVAIS EMENDADOS UNS NOS OUTROS, E BOTÕES COR-DE-ROSA QUE SE ABREM EM LINDAS FLORES AMARELAS.

33 TAMANDUÁ-MIRIM • O TAMANDUÁ-MIRIM, TAMBÉM CONHECIDO COMO TAMANDUÁ-DE-COLETE, É UM PARENTE MENOR DO TAMANDUÁ-BANDEIRA. ELE FAZ UMA COISA QUE SEU PRIMO GRANDE NÃO FAZ: SOBE NAS ÁRVORES E CONSEGUE SE SEGURAR COM O RABO. ASSIM, AS PATAS DA FRENTE FICAM LIVRES PARA CATAR CUPINS OU TIRAR MEL DAS COLMEIAS.

34 IGUANA • DESCANSANDO À VONTADE EM CIMA DE UMA ÁRVORE, A IGUANA TALVEZ PENSE QUE É PASSARINHO. MAS É UM LAGARTO, E ÀS VEZES É CHAMADA ATÉ DE CAMALEÃO. ELA NÃO MUDA DE COR DE UM MINUTO PARA O OUTRO, PORÉM SUA COR PODE VARIAR DO VERDE AO MARROM. NA CAATINGA QUASE NÃO TEM ÁGUA, MAS SE FOR PRECISO ELA SABE NADAR!

35 CAROÁ • AS FOLHAS DO CAROÁ TÊM FIBRAS RESISTENTES QUE PODEM SER USADAS PARA FAZER UMA SÉRIE DE COISAS, COMO CORDAS, CHAPÉUS, CESTOS E ESTEIRAS. O CAROÁ SÓ EXISTE NA CAATINGA, ONDE AS MULHERES SE ORGANIZAM PARA DESFIAR ESSAS FOLHAS.

36 CASCAVEL • A CASCAVEL É UMA COBRA MUITO VENENOSA, MAS SÓ ATACA AO SE SENTIR AMEAÇADA. QUANDO ELA QUER ESPANTAR ALGUÉM, SACODE O GUIZO NA PONTA DO RABO E FAZ UM BARULHO MUITO CARACTERÍSTICO. ASSIM PODEMOS EVITAR PISAR NELA.

SERIEMA

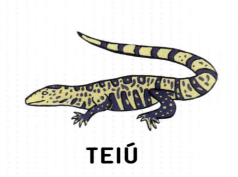
TEIÚ

VEADO-CAMPEIRO

TAMANDUÁ-BANDEIRA

IPÊ-BRANCO

O **CERRADO** NÃO É TODO IGUAL. A PAISAGEM MAIS TÍPICA SÃO AS ÁRVORES BAIXAS, MAS EM ALGUNS LUGARES HÁ QUASE SÓ CAPIM. PODE NÃO PARECER, MAS ESSE É UM AMBIENTE RIQUÍSSIMO, CHEIO DE PLANTAS E BICHOS ESPECIAIS.

LOBEIRA

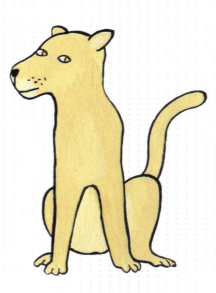
SUÇUARANA

22

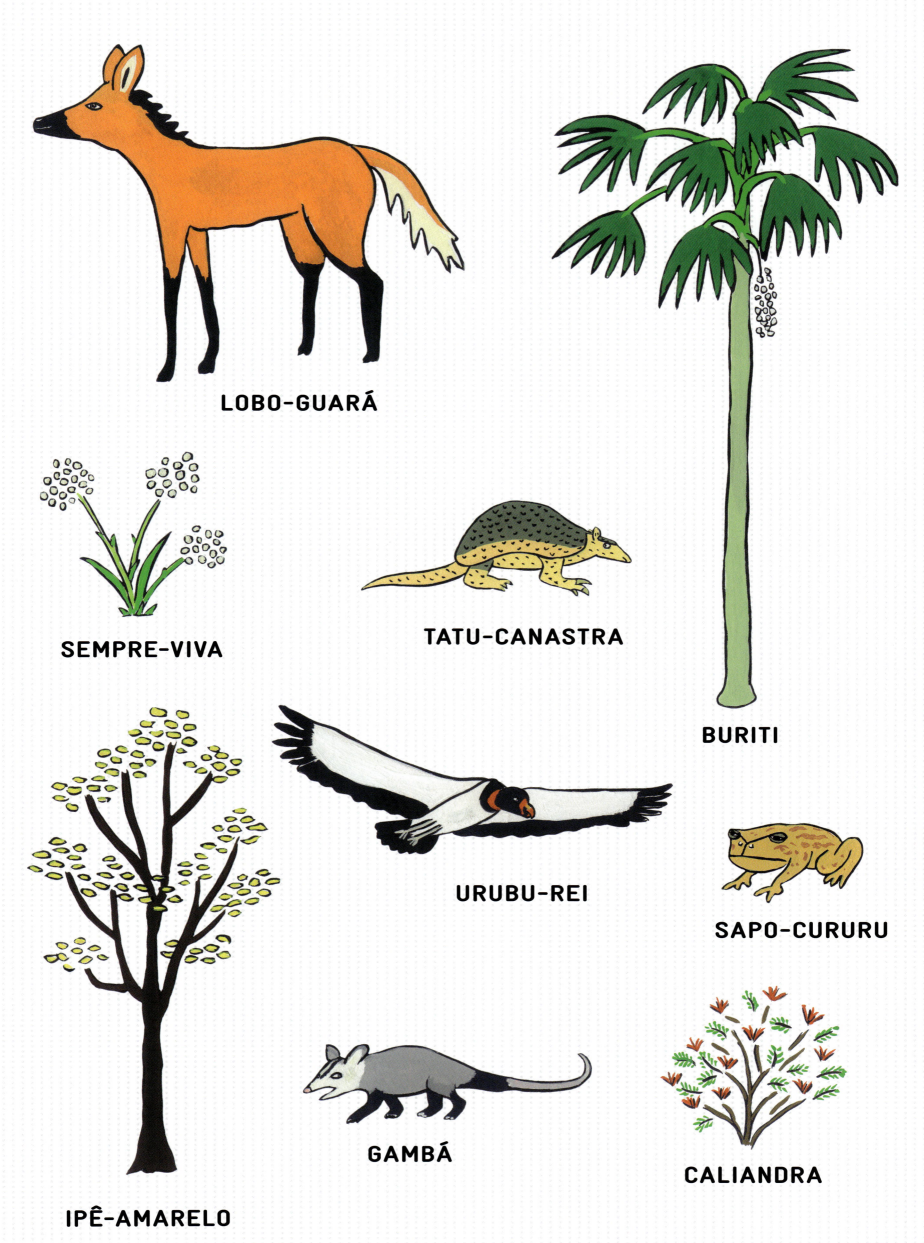

CERRADO

NO CERRADO, AS ÁRVORES SÃO PEQUENAS E RETORCIDAS. PARECEM BOAS DE SUBIR, MAS CUIDADO: AS PRETAS SÃO PURO CARVÃO. É PORQUE DE VEZ EM QUANDO A MATA PEGA FOGO, JÁ QUE EM CERTOS PERÍODOS FICA MUITO TEMPO SEM CHOVER POR LÁ E O MATO FICA SECO.

PORÉM QUANDO CHOVE É UMA FESTA: APARECEM FLORES PRA TODO LADO!

37 URUBU-REI • O URUBU-REI É ESPECIALIZADO EM COMER CARNIÇA, POR ISSO É UM POUCO MALCHEIROSO. MAS, QUANDO VOA, É PURA ELEGÂNCIA: ELE QUASE NÃO BATE AS ASAS, POIS SABE APROVEITAR AS CORRENTES DE AR COM MAESTRIA. OS FILHOTES RECÉM-NASCIDOS PARECEM BOLAS DE ALGODÃO!

38 GAMBÁ • O GAMBÁ MAIS COMUM NO CERRADO TEM AS ORELHAS E A CARA BRANCAS, COM UMA LISTRA PRETA NO MEIO DO ROSTO — PARECE UM RATÃO DE ROUPA MAIS CAPRICHADA. AS MÃES TÊM UMA BOLSA NA BARRIGA (COMO OS CANGURUS), ONDE CARREGAM ATÉ CATORZE FILHOTES.

39 LOBO-GUARÁ • COM SUAS PATAS COMPRIDAS, O LOBO-GUARÁ PARECE UMA RAPOSA DE PERNAS DE PAU! COSTUMA ANDAR SOZINHO À NOITE, MAS NÃO É PRECISO TER MEDO DELE. O LOBO-GUARÁ É TRANQUILO E GOSTA MUITO DE COMER FRUTAS, PRINCIPALMENTE AS QUE NASCEM NA LOBEIRA.

40 TAMANDUÁ-BANDEIRA • O TAMANDUÁ-BANDEIRA TERIA MESMO MUITO ASSUNTO COM O TATU, POIS ADORA UMA BOA REFEIÇÃO DE CUPINS E FORMIGAS. ELE TEM PATAS DIANTEIRAS FORTES E GARRAS ENORMES PARA QUEBRAR OS CUPINZEIROS.

41 VEADO-CAMPEIRO • O VEADO-CAMPEIRO PARECE ESTAR SEMPRE DE ÓCULOS: ISSO PORQUE ELE TEM MARCAS BRANCAS EM FORMA DE ANÉIS EM VOLTA DOS OLHOS. OS FILHOTES NASCEM PINTADINHOS DE BRANCO, COMO VERDADEIROS BAMBIS.

42 IPÊ-BRANCO • O IPÊ-BRANCO É UM ESPETÁCULO QUANDO SE ENCHE DE FLORES. PENA QUE DURAM POUCO: DE UM DIA PARA O OUTRO, VÃO PARAR TODAS NO CHÃO. QUEM VIU, VIU; QUEM NÃO VIU, SÓ NO ANO QUE VEM.

43 TATU-CANASTRA • O TATU-CANASTRA É O MAIOR DOS TATUS, E PODE PESAR TANTO QUANTO UMA PESSOA ADULTA! TEM GARRAS MUITO FORTES QUE USA PARA CAVAR SUA TOCA E TAMBÉM PARA ARREBENTAR CUPINZEIROS. CUPINS E FORMIGAS SÃO SUA COMIDA PREDILETA.

44 SAPO-CURURU • O SAPO-CURURU É UM SAPÃO. QUANDO CANTA, É PARA CHAMAR A ATENÇÃO DAS SAPAS. É NESSA HORA QUE ELE GOSTA DE FICAR NA BEIRA DO RIO: AS SAPAS PÕEM OVOS DENTRO DA ÁGUA PARA OS GIRINOS PODEREM SAIR NADANDO.

45 TEIÚ • COM SUA LÍNGUA DE DUAS PONTAS, O TEIÚ É UM DOS MAIORES LAGARTOS DO BRASIL. GOSTA DE FICAR ESTICADO AO SOL; ASSIM, ACUMULA ENERGIA PARA SUAS CAÇADAS.

46 BURITI • AS FOLHAS DO BURITI DÃO ÓTIMAS E GRANDES VASSOURAS. MUITAS VEZES, ENCONTRAMOS ESSAS PALMEIRAS NAS ZONAS ALAGADAS DO CERRADO CONHECIDAS COMO VEREDAS.

47 SUÇUARANA • A SUÇUARANA É UMA SENHORA GATA. MAIOR QUE ELA, NO BRASIL, SÓ A ONÇA-PINTADA. TODOS OS BICHOS DO DESENHO PROVAVELMENTE TÊM MEDO DELA. POR ISSO ELA OLHA TUDO LÁ DO ALTO.

48 IPÊ-AMARELO • QUANDO SE ENCHE DE FLORES, O IPÊ-AMARELO ESTÁ SEM FOLHAS. O RESULTADO É UM LINDO BUQUÊ GIGANTE, QUE SE VÊ DE LONGE. O CONTRASTE COM O CÉU AZUL DO CERRADO É IMPRESSIONANTE!

49 LOBEIRA • AS FLORES ROXAS DA LOBEIRA SE TRANSFORMAM EM FRUTOS REDONDOS QUE SE PARECEM COM TOMATES. É QUE ELA É MESMO PARENTE DO TOMATEIRO. O LOBO-GUARÁ ACHA UMA DELÍCIA!

50 SEMPRE-VIVA • A SEMPRE-VIVA É UMA PLANTA QUE DÁ FLORES MUITO ESPECIAIS: SÃO BOLOTAS BRANCAS SECAS QUE NÃO ESTRAGAM DEPOIS DE COLHIDAS, E, COMO BEM DIZ SEU NOME, PARECEM ESTAR SEMPRE VIVAS.

51 CALIANDRA • COM SEUS POMPONS VERMELHOS, A CALIANDRA DO CERRADO FAZ O MAIOR SUCESSO ENTRE OS BEIJA-FLORES. ESSE ARBUSTO TAMBÉM É CONHECIDO COMO ESPONJINHA OU FLOR-DE-CABOCLO, ENTRE OUTROS NOMES.

52 SERIEMA • A SERIEMA É UMA AVE MUITO ELEGANTE: TEM ATÉ PESTANAS E UMA CRISTA NA TESTA! QUANDO CANTA, PARECE QUE ESTÁ DANDO RISADA. COM SUAS PERNAS COMPRIDAS, GOSTA MAIS DE ANDAR E CORRER DO QUE DE VOAR.

NO **PANTANAL**, QUE FICA NO MATO GROSSO E NO MATO GROSSO DO SUL, O PERÍODO QUE VAI DE OUTUBRO A MARÇO É MUITO CHUVOSO. NESSA ÉPOCA DO ANO, A PAISAGEM VAI FICANDO ALAGADA. O MORADOR DA REGIÃO JÁ ESTÁ ACOSTUMADO E SE DESLOCA DE BARCO OU CANOA.

PACU

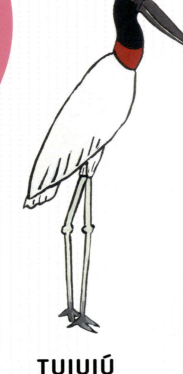

TUIUIÚ

FRANGO-D'ÁGUA-AZUL

CERVO-DO-PANTANAL

AGUAPÉS

ARARA-AZUL

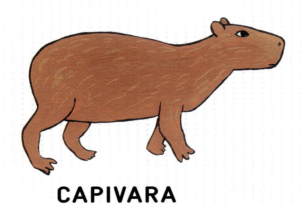

CAPIVARA

ARIRANHA

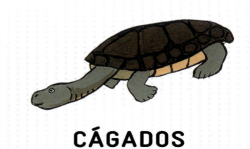

CÁGADOS

28

PANTANAL

NO PANTANAL, NA ÉPOCA DAS CHUVAS, ALGUMAS ÁRVORES FICAM SÓ COM A COPA PARA FORA. QUASE TODOS OS BICHOS ESTÃO PREPARADOS PARA O DESAFIO, POIS NADAM MUITO BEM. DEPOIS VÊM MUITOS MESES QUASE SEM ÁGUA. AS LAGOAS VÃO SUMINDO E AS PLANTAS AQUÁTICAS FICAM SECAS, ESPERANDO PARA BROTAR OUTRA VEZ QUANDO A CHUVA VOLTAR. NESSA ÉPOCA, É FÁCIL VER JACARÉS E CAPIVARAS: VÃO TODOS PARA OS POUCOS LAGOS QUE SOBRAM. PARA QUEM GOSTA DE AVES, O PANTANAL É UMA FESTA!

53 CERVO-DO-PANTANAL • O CERVO-DO-PANTANAL É O MAIOR CERVO OU VEADO DO BRASIL. OS MACHOS TÊM GALHADAS DE CINCO PONTAS NA CABEÇA, QUE SERVEM MAIS COMO ENFEITE: ELES NÃO COSTUMAM BRIGAR. GOSTAM MESMO É DE FICAR DENTRO DA ÁGUA, COMENDO FOLHAS DE ARBUSTOS E PLANTAS AQUÁTICAS, COMO O AGUAPÉ. ATÉ SUAS PATAS SÃO ADAPTADAS PARA ISSO: COMPRIDAS E COM UMA MEMBRANA NO MEIO DOS DEDOS, COMO SE FOSSEM PÉS DE PATO!

54 ARIRANHA • É DIFÍCIL VER UMA ARIRANHA, EMBORA ELAS SEJAM BAGUNCEIRAS E GOSTEM DE DAR CAMBALHOTAS E DE GRITAR. É QUE ELAS FICAM DENTRO DA ÁGUA, NADANDO, COM PATAS QUE PARECEM REMOS, COM MEMBRANAS ENTRE OS DEDOS; A CAUDA É TÃO FORTE QUE FUNCIONA COMO UM LEME. QUANDO PEGAM UMA CAÇA, SAEM PARA COMER NA MARGEM, MAS NÃO FICAM ALI LAGARTEANDO COMO OS JACARÉS!

55 AGUAPÉS • SÃO PLANTAS QUE BOIAM NA ÁGUA. ALGUNS TÊM FLORES BRANCAS COM MIOLO ROXO QUE SÃO CHAMADAS DE ORELHA-DE-ONÇA PORQUE AS FOLHAS SÃO REDONDINHAS. OUTROS TÊM FLORES COR-DE-ROSA E BOIAS REDONDAS, CHAMADAS DE BOMBA. TAMBÉM PODEM SER LILASES. AS RAÍZES DOS AGUAPÉS SE EMARANHAM UMAS NAS OUTRAS FORMANDO ILHAS ONDE ALGUNS ANIMAIS PASSEIAM E ATÉ MORAM.

56 COLHEREIRO • O COLHEREIRO TEM ESSE NOME PORQUE SEU BICO TEM FORMA DE COLHER. COM ELE, PEGA O LODO DEBAIXO DA ÁGUA E O PENEIRA PARA ENCONTRAR BICHINHOS APETITOSOS, COMO CARANGUEJOS, QUE DEIXAM AS PENAS DO COLHEREIRO COR-DE-ROSA! ELES PRECISAM DE ÁGUA BEM LIMPA PARA ENCONTRAR AQUILO DE QUE NECESSITAM, POR ISSO SÃO OS PRIMEIROS A IR EMBORA QUANDO TEM POLUIÇÃO.

57 GARÇA-MOURA • NO PANTANAL, A GARÇA-MOURA TAMBÉM SE CHAMA BAGUARI. ELA GOSTA DE FICAR DE PÉ PERTO DA ÁGUA, ONDE CATA RÃS, PEIXES, CARANGUEJOS E OUTROS BICHINHOS. ESSAS GARÇAS PARECEM ESTAR PRONTAS PARA UMA FESTA, VESTIDAS COM CHAPÉU PRETO E CASACO CINZA. QUANDO VOAM, SEU TAMANHO É BEM IMPRESSIONANTE.

58 CAPIVARA • DO TAMANHO DE UM CACHORRO GRANDE, A CAPIVARA É NA VERDADE UM ROEDOR (O MAIOR DO MUNDO), COMO A PACA E O PREÁ. ELA NADA SUPERBEM, GOSTA DE FICAR EM BANDO DENTRO DA ÁGUA E É BEM TRANQUILA: NEM TEM MEDO DE JACARÉ! COME PLANTAS, MAS, SE RESOLVE MORDER, TEM UNS DENTÕES QUE IMPÕEM RESPEITO.

59 JACARÉ • TEM MUITO JACARÉ NO PANTANAL. ELES TÊM O COMPRIMENTO PARECIDO COM A ALTURA DE UMA PESSOA ADULTA E UMA BOCONA CHEIA DE DENTES. MAS NÃO PARECEM INTERESSADOS EM COMER PESSOAS: PREFEREM BICHINHOS MENORES. MESMO COM O COURO GROSSO QUE TÊM, ELES NÃO SE METEM COM AS CAPIVARAS. GOSTAM DE FICAR DEITADOS NA BEIRA DA ÁGUA, TOMANDO SOL. QUANDO SE ASSUSTAM, CORREM PARA A ÁGUA.

60 CAMBARÁ • DIZEM QUE O CAMBARÁ É UMA ÁRVORE EGOÍSTA, PORQUE ELA GUARDA ÁGUA BEM GUARDADINHA. DEPOIS DE MUITOS MESES DE SECA, TODAS AS PLANTAS FICAM COM SEDE, MAS O CAMBARÁ CONTINUA VERDINHO. E QUANDO A CHUVA ALAGA TUDO, ELE CONSEGUE FICAR MERGULHADO NA ÁGUA ATÉ A COPA. E NEM SE INCOMODA.

61 ARAÇARI • COM SEU BICO SERRILHADO, O ARAÇARI É UM TUCANO BEM DIFERENTE. MENORZINHO E COM O PEITO COLORIDO, AMARELO E VERMELHO, É DE UMA ELEGÂNCIA SÓ! GOSTA DE COMER FRUTAS E TOMAR BANHO NAS ÁGUAS ACUMULADAS NAS BROMÉLIAS, LÁ NO ALTO DAS ÁRVORES.

62 FRANGO-D'ÁGUA-AZUL • O FRANGO-D'ÁGUA-AZUL É MUITO BONITO, COM SUAS PENAS AZUIS E ASAS ESVERDEADAS. APESAR DO NOME, ELE SÓ FICA NA ÁGUA DE VEZ EM QUANDO. GOSTA DE ANDAR POR CIMA DOS AGUAPÉS E OUTRAS PLANTAS, E VOAR PERTO DA ÁGUA.

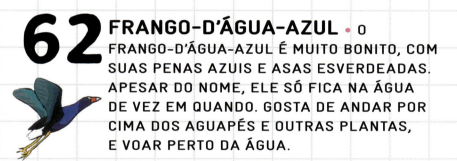

63 PACA • A PACA É MUITO ELEGANTE COM SUAS PINTINHAS BRANCAS, E DEVE SER POR ISSO QUE ELA GOSTA DE ESTAR SEMPRE LIMPINHA! ELA VIVE PERTO DA ÁGUA E, QUANDO LEVA UM SUSTO, LOGO MERGULHA E SAI NADANDO. ÀS VEZES SÓ APARECE DO OUTRO LADO DO RIO.

64 PINTADO • O PINTADO É UM PEIXÃO TODO MALHADO QUE NADA NOS RIOS DO PANTANAL. GOSTA DE FICAR NO FUNDO, ONDE A ÁGUA É MAIS SOSSEGADA. É COMUM ELE TER O PESO DE UMA CRIANÇA DE OITO ANOS! TEM A PELE LISINHA, SEM ESCAMAS. POR ISSO SE DIZ QUE ESSE É UM PEIXE DE COURO.

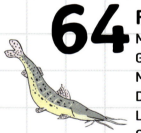

65 ARARA-AZUL • A ARARA-AZUL É A MAIOR ARARA DO MUNDO! NÃO EXISTEM MUITAS DELAS, POR ISSO ESTÃO EM RISCO DE EXTINÇÃO. MAS NO PANTANAL NÃO É DIFÍCIL VÊ-LAS VOANDO E COMENDO COQUINHOS DE PALMEIRAS, COMO OS DOS BURITIS, DE QUE ELAS TANTO GOSTAM.

66 CÁGADOS • OS CÁGADOS PASSAM UM TEMPÃO MERGULHADOS. DEPOIS SAEM PARA TOMAR SOL NA BEIRA DOS RIOS E DOS LAGOS. COSTUMAM TER MANCHAS AMARELAS NA GARGANTA E NA BARRIGA E SE ESCONDEM DENTRO DA CARAPAÇA QUANDO LEVAM UM SUSTO.

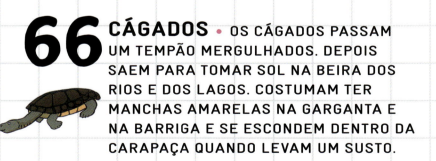

67 PACU • O PACU É UM PEIXE COM FORMATO DE DISCO. TEM DUAS FILEIRAS DE DENTES NA BOCA, QUE SERVEM PARA COMER PLANTAS QUE NASCEM NA ÁGUA E FRUTOS QUE CAEM DAS ÁRVORES, NÃO PARA MORDER OS DEDOS DA GENTE. SÃO MENORES QUE OS PINTADOS, MAS TAMBÉM PODEM FICAR BEM GRANDÕES.

68 TUIUIÚ • O TUIUIÚ É CONSIDERADO O SÍMBOLO DO PANTANAL. SÃO PÁSSAROS BEM GRANDÕES, DO TAMANHO DE UMA CRIANÇA DE DEZ ANOS! ELES TRANÇAM GALHOS E FAZEM NINHOS ENORMES NO ALTO DAS ÁRVORES, ONDE O PAI E A MÃE SE REVEZAM PARA CUIDAR DOS FILHOTES.

MATA ATLÂNTICA

QUANDO OS PORTUGUESES CHEGARAM NO BRASIL, LOGO VIRAM A MATA ATLÂNTICA. E FICARAM MARAVILHADOS. ERA A FLORESTA QUE OCUPAVA QUASE TODA A COSTA DO PAÍS. AS PLANTINHAS QUE CRESCEM NA AREIA DE ALGUMAS PRAIAS E OS MANGUEZAIS TAMBÉM FAZEM PARTE DELA, MAS A PAISAGEM MAIS TÍPICA É A FLORESTA EXUBERANTE, MUITO VERDE E ÚMIDA, QUE SOBE A SERRA. É A MATA EM VOLTA DO CRISTO REDENTOR NO RIO DE JANEIRO, A DA CANTAREIRA EM SÃO PAULO, A FLORESTA DE ARAUCÁRIAS NA SERRA GAÚCHA E MUITO MAIS. MAS COMO AS PRINCIPAIS CIDADES BRASILEIRAS SE INSTALARAM JUSTAMENTE NA MATA ATLÂNTICA, SOBROU MUITO POUCO DELA.

69 PALMITO • QUEM NÃO GOSTA DE PALMITO? É UMA DELÍCIA! MUITA GENTE, EM VEZ DE PLANTAR PARA TER DE MONTÃO, ROUBA O PALMITO DA FLORESTA. O PIOR É QUE A GENTE COME SÓ A PONTINHA VERDE E MACIA DO TRONCO, DE ONDE BROTAM AS FOLHAS, MAS, QUANDO SE CORTA ESSA PARTE, A ÁRVORE TODA MORRE. MUITOS PASSARINHOS GOSTAM DAS FRUTINHAS DESSA PALMEIRA E SENTEM FALTA QUANDO ELA DESAPARECE.

70 BUGIO • QUEM FAZ BARULHO NA FLORESTA É O BUGIO. OS MACHOS DÃO GRITOS GRAVES QUE ÀS VEZES PARECEM UM RONCO, ÀS VEZES UM LATIDO. ANDAM PELOS GALHOS USANDO O RABO COMO TERCEIRA MÃO E, QUANDO SE APROXIMAM, OUVIMOS AS FOLHAS BALANÇANDO. SE ESTIVER PERTO DELES, O MELHOR É NÃO IRRITÁ-LOS: QUANDO FICAM BRAVOS, COSTUMAM JOGAR COCÔ PARA ESPANTAR O INTRUSO!

71 MICO-LEÃO-DOURADO • OS BANDOS DE MICO-LEÃO-DOURADO, COM SUA CABELEIRA RUIVA, PARECEM UM INCÊNDIO NO ALTO DAS ÁRVORES. ELES SÓ EXISTEM NA MATA ATLÂNTICA DO RIO DE JANEIRO E DO ESPÍRITO SANTO. EM GERAL, OS FILHOTES NASCEM AOS PARES, COMO IRMÃOS GÊMEOS, E TODOS OS MICOS DO GRUPO AJUDAM A CUIDAR DELES.

72 LONTRA • A LONTRA GOSTA DE FICAR DENTRO DA ÁGUA E NADA MUITO BEM. QUANDO MERGULHA, SUAS NARINAS SE FECHAM SEM QUE ELA PRECISE APERTÁ-LAS COM OS DEDOS. OS DEDOS SÃO UNIDOS POR MEMBRANAS, E O RABO ACHATADO SERVE DE LEME. TEM BIGODES COMPRIDOS E DUROS, QUE AJUDAM A ENCONTRAR PRESAS DENTRO DA ÁGUA.

73 BROMÉLIAS • AS BROMÉLIAS SÃO COMO MACACOS DO MUNDO DAS PLANTAS: VIVEM NO ALTO DAS ÁRVORES. MORAM NOS GALHOS E NÃO TIRAM NADA DA PLANTA. SE ALIMENTAM DO QUE VEM DA CHUVA E DAQUILO QUE TRAZEM OS BICHINHOS QUE MORAM DENTRO DELAS, COMO SAPOS E INSETOS. APROVEITAM ATÉ O XIXI DO SAPO!

74 IRARA • NA LÍNGUA TUPI-GUARANI, IRARA SIGNIFICA "DONA DO MEL". É QUE ELA É MESMO FÃ DE UM BOM MEL. PARA CONSEGUIR ESSE ALIMENTO, ELA PRECISA SUBIR NAS ÁRVORES, COISA QUE FAZ MUITO BEM. TAMBÉM GOSTA DE CORRER E NADAR. E, QUANDO SE CANSA, PROCURA UM ACONCHEGANTE OCO DE ÁRVORE.

75 **EMBAÚBA** • QUANDO CAI UMA ÁRVORE E SE ABRE UMA CLAREIRA NA FLORESTA, A PRIMEIRA PLANTA A GERMINAR É A EMBAÚBA. É FÁCIL RECONHECÊ-LA PELAS FOLHAS BRANCAS, CHEIAS DE PELINHOS PEQUENOS E DUROS, QUE FAZEM DELA UMA BOA LIXA, USADA PELOS ÍNDIOS EM SEU ARTESANATO. AS FOLHAS MAIS NOVINHAS, MENOS DURAS, SÃO A COMIDA PREFERIDA DO BICHO-PREGUIÇA.

PARA SABER +

76  **SAÍRA-SETE-CORES** • SE ENXERGAR UMA MISTURA DE CORES VOANDO BEM DEPRESSA, PODE SER A SAÍRA-SETE-CORES, UM PASSARINHO TÍPICO DA MATA ATLÂNTICA QUE ADORA COMER FRUTAS. AS FÊMEAS SÃO UM POUCO MAIS DESBOTADAS QUE OS MACHOS, MAS TAMBÉM SÃO COLORIDAS DE TONS DE VERDE E AZUL.

77 **JAGUATIRICA** • A JAGUATIRICA É COMO UMA ONÇA EM MINIATURA, UM POUCO MAIOR QUE UM GATO. É UM BICHO DE POUCOS AMIGOS: PREFERE ANDAR SOZINHO PELA FLORESTA, PLANEJANDO SUA PRÓXIMA CAÇADA.

78  **HELICÔNIA** • A HELICÔNIA É UMA PLANTA DA FAMÍLIA DAS BANANEIRAS. DÁ CACHOS DE FLORES ENFILEIRADAS, VERMELHAS E AMARELAS, QUE FAZEM O MAIOR SUCESSO ENTRE OS BEIJA-FLORES.

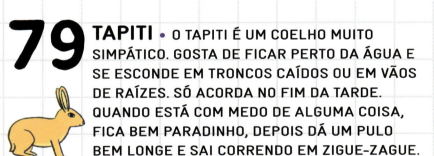

79 **TAPITI** • O TAPITI É UM COELHO MUITO SIMPÁTICO. GOSTA DE FICAR PERTO DA ÁGUA E SE ESCONDE EM TRONCOS CAÍDOS OU EM VÃOS DE RAÍZES. SÓ ACORDA NO FIM DA TARDE. QUANDO ESTÁ COM MEDO DE ALGUMA COISA, FICA BEM PARADINHO, DEPOIS DÁ UM PULO BEM LONGE E SAI CORRENDO EM ZIGUE-ZAGUE.

80  **MANACÁ-DA-SERRA** • A FLORESTA ÀS VEZES SE ENCHE DE FLORES BRANCAS E ROXAS QUE SE MISTURAM NUMA MESMA ÁRVORE: O MANACÁ-DA-SERRA. ELA PARECE MÁGICA, PORQUE AS FLORES NASCEM BRANCAS E AOS POUCOS FICAM ROXAS, PASSANDO PELO ROSA.

81 **CACHORRO-VINAGRE** • É DIFÍCIL ENXERGAR UM CACHORRO-VINAGRE NA FLORESTA, POIS ELE É BASTANTE RARO. DO TAMANHO DE UM CÃO MÉDIO, GOSTA DE FICAR PERTO DOS RIOS. VIVE EM FAMÍLIAS DE TRÊS A DEZ MEMBROS QUE CONVERSAM BASTANTE, USANDO SONS ESPECÍFICOS PARA CADA SITUAÇÃO.

82 **XAXIM** • O XAXIM É UMA ÁRVORE QUE LEMBRA UMA PALMEIRA, MAS É DA FAMÍLIA DAS SAMAMBAIAS. O TRONCO É ESQUISITO, PORQUE PARECE SER PELUDO. ESSES PELOS SÃO, NA VERDADE, FIBRAS, E OUTRAS PLANTAS, COMO ORQUÍDEAS, SE INSTALAM NELAS.

83  **PREGUIÇA** • A PREGUIÇA MORA NOS GALHOS ALTOS DAS ÁRVORES E SÓ DESCE MUITO DE VEZ EM QUANDO, PARA FAZER XIXI E COCÔ. ELA FICA TÃO PARADA, COMENDO FOLHAS, QUE ATÉ NASCEM ALGAS EM SEU PELO, DEIXANDO-A MEIO ESVERDEADA. APESAR DE SE MEXER MUITO DEVAGAR, QUANDO É PRECISO ELA SABE NADAR!

84  **MURIQUI** • O MURIQUI É O MAIOR MACACO DAS AMÉRICAS. ELES GOSTAM DE DAR ABRAÇOS COLETIVOS ENQUANTO ESTÃO PENDURADOS NAS ÁRVORES, E ASSIM FORMAM UM "CACHO DE MACACOS"! O MURIQUI-DO-SUL, QUE É LOIRO DE CARA PRETA, EXISTE NOS ESTADOS DO PARANÁ, SÃO PAULO E RIO DE JANEIRO.

CORUJA-BURAQUEIRA

CATURRITA

GAVIÃO-ASA-DE-TELHA

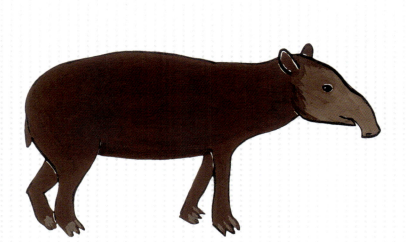
ANTA

OS **PAMPAS** FICAM NA REGIÃO SUL DO BRASIL. MUITO DIFERENTES DAS FLORESTAS DO RESTO DO PAÍS, SÃO CAMPOS ABERTOS, COM DIVERSOS TIPOS DE CAPIM.

TABOA

TUCO-TUCO

BARBA-DE-BODE

PICA-PAU-VERDE-BARRADO

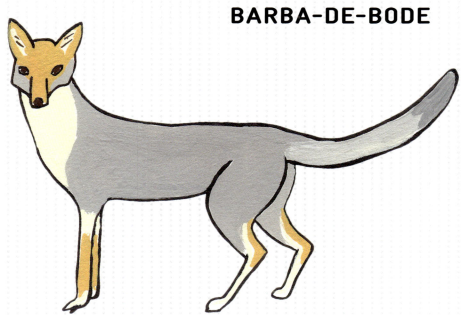
GRAXAIM

41

PAMPAS

O PAMPA BRASILEIRO FICA NO RIO GRANDE DO SUL, MAS ESSA PAISAGEM SE ESTENDE PELA ARGENTINA E URUGUAI. ALÉM DOS BICHOS SELVAGENS, LÁ TEM MUITAS VACAS, OVELHAS E CAVALOS. OS CAPINS DÃO UM BOM PASTO, MAS NÃO PENSE QUE CAPIM É TUDO IGUAL! ALGUNS SÓ EXISTEM NOS PAMPAS E SÃO BEM DIFERENTES QUANDO SE OLHA COM CUIDADO.

85 ARAUCÁRIA • A ARAUCÁRIA É UM DOS POUCOS PINHEIROS GENUINAMENTE BRASILEIROS. ELA TAMBÉM VIVE NO PAMPA, MAS O HÁBITAT TÍPICO DAS FLORESTAS DE ARAUCÁRIAS SÃO AS REGIÕES MONTANHOSAS. OS PINHÕES, QUE SE COMEM MUITO NA REGIÃO SUL E QUE TAMBÉM SÃO ALIMENTO DE MUITOS BICHOS, SÃO AS SEMENTES DAS ARAUCÁRIAS.

86 PICA-PAU-VERDE-BARRADO • O PICA-PAU-VERDE-BARRADO É TODO PINTADINHO, TEM UMA MÁSCARA BRANCA E PENAS QUE FORMAM UM CHAPÉU PRETO E VERMELHO. PARA COMPLETAR A ELEGÂNCIA, OS MACHOS TÊM UM BIGODE VERMELHO NA BASE DO BICO. ELES BICAM O TRONCO DAS ÁRVORES COM VONTADE PARA CATAR INSETOS DEBAIXO DA CASCA.

87 CORTADEIRA • A CORTADEIRA É UM CAPIM QUE NASCE EM TOUCEIRAS MUITO ALTAS, MAIORES ATÉ DO QUE UMA PESSOA. ELA TEM PENACHOS LINDOS E MUITO SUAVES, ÀS VEZES BRANCOS, AMARELOS OU ARROXEADOS. MAS O NOME JÁ INDICA: CUIDADO! A BORDA DE SUAS FOLHAS CORTA COMO UM SERROTE.

88 CAITITU • O CAITITU, OU CATETO, É UM PARENTE DOS PORCOS QUE PODE VIVER EM QUALQUER TIPO DE AMBIENTE. DIFERENTE DE SEU "PRIMO", ELE NÃO É COR-DE-ROSA NEM TEM RABO DE SACA-ROLHAS: NA VERDADE TEM UM RABO MINÚSCULO QUE DESAPARECE NO MEIO DOS PELOS...

89 EMA • APESAR DE SER UMA AVE, A EMA NÃO VOA. TAMBÉM, COMO PODERIA VOAR COM ESSE TAMANHO TODO?! AS EMAS SÃO TÃO ALTAS QUANTO UMA PESSOA ADULTA! É SEMPRE A EMA MACHO — O PAPAI — QUEM CONSTRÓI O NINHO DOS FILHOTES, CHOCA OS OVOS E ANDA PRA LÁ E PRA CÁ COM SEUS PEQUENOS.

90 QUERO-QUERO • CUIDADO COM OS QUERO-QUEROS! ELES PÕEM OS OVOS NO CHÃO, NO MEIO DO CAPIM, E NÃO GOSTAM QUE NINGUÉM SE APROXIME DE SEUS FUTUROS FILHOTES. POR ISSO, COSTUMAM ATACAR QUEM ANDA PELO CAMPO, SEMPRE FAZENDO UM BARULHO PARECIDO COM "QUERO-QUERO! QUERO-QUERO!".

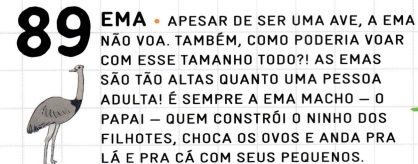

91 TUCO-TUCO

Os tuco-tucos passam quase o tempo todo cavando debaixo da terra, mas de vez em quando aparecem na superfície para arrancar capim. Às vezes, dentro de suas tocas subterrâneas, eles gritam "tuco-tuco" tão alto que o chão parece vibrar. Os que moram no pampa podem ter uma mancha no pescoço, como um colar branco, e às vezes são malhados de branco e marrom!

92 CORUJA-BURAQUEIRA

As corujas-buraqueiras fazem ninhos em tocas pelo campo e por isso precisam ficar de olho nos intrusos, como os quero-queros. Elas montam guarda — muitas vezes equilibradas num pé só! — e atacam quem chega perto, soltando guinchos assustadores.

PARA SABER +

93 GAVIÃO-ASA-DE-TELHA

O gavião-asa-de-telha nem sempre vai aos pampas, mas pode aparecer por lá. O curioso é que ele costuma caçar em grupo e usa estratégias para cercar as presas. Assim consegue pegar até bichos bem rápidos, mas nunca muito grandes.

94 GRAXAIM
Parecido com uma raposinha, o graxaim gosta de dormir de dia para acordar no final da tarde. Em geral, prefere uma boa toca, mas a touceirona de capim também é uma boa proteção.

95 CATURRITA

As caturritas são periquitos que gostam de voar em bando. Fazem barulho, como qualquer periquito, e constroem ninhos comunitários para o bando todo que parecem verdadeiros condomínios!

96 ANTA
Com seu focinho, que é quase uma tromba, a anta é o maior mamífero terrestre do Brasil. Ela gosta de ficar na água para se refrescar e acaba fazendo algo que não deveria fazer por lá: cocô!

97 TABOA

A taboa é uma planta típica de lugares alagados. As espigas, que parecem salsichas, soltam milhões de sementes que se espalham com o vento.

98 BARBA-DE-BODE

Espécie de capim em tufos, a barba-de-bode forma campos onde o solo é mais seco — ou foi seco em algum momento do passado.

99 GATO-PALHEIRO

O gato-palheiro gosta mesmo é da noite. Durante o dia, ele dorme, muitas vezes no alto de uma araucária. Parece um gato doméstico, mas não se engane!

100 JABUTI

O jabuti que anda por ali tem umas manchas amareladas no casco. Como carrega a própria casa, quando se cansa basta se encolher para dentro para descansar.

MAPA DOS BIOMAS

- 🟢 AMAZÔNIA
- 🔴 CAATINGA
- 🔵 CERRADO
- 🟣 PANTANAL
- 🟪 MATA ATLÂNTICA
- 🟠 PAMPAS

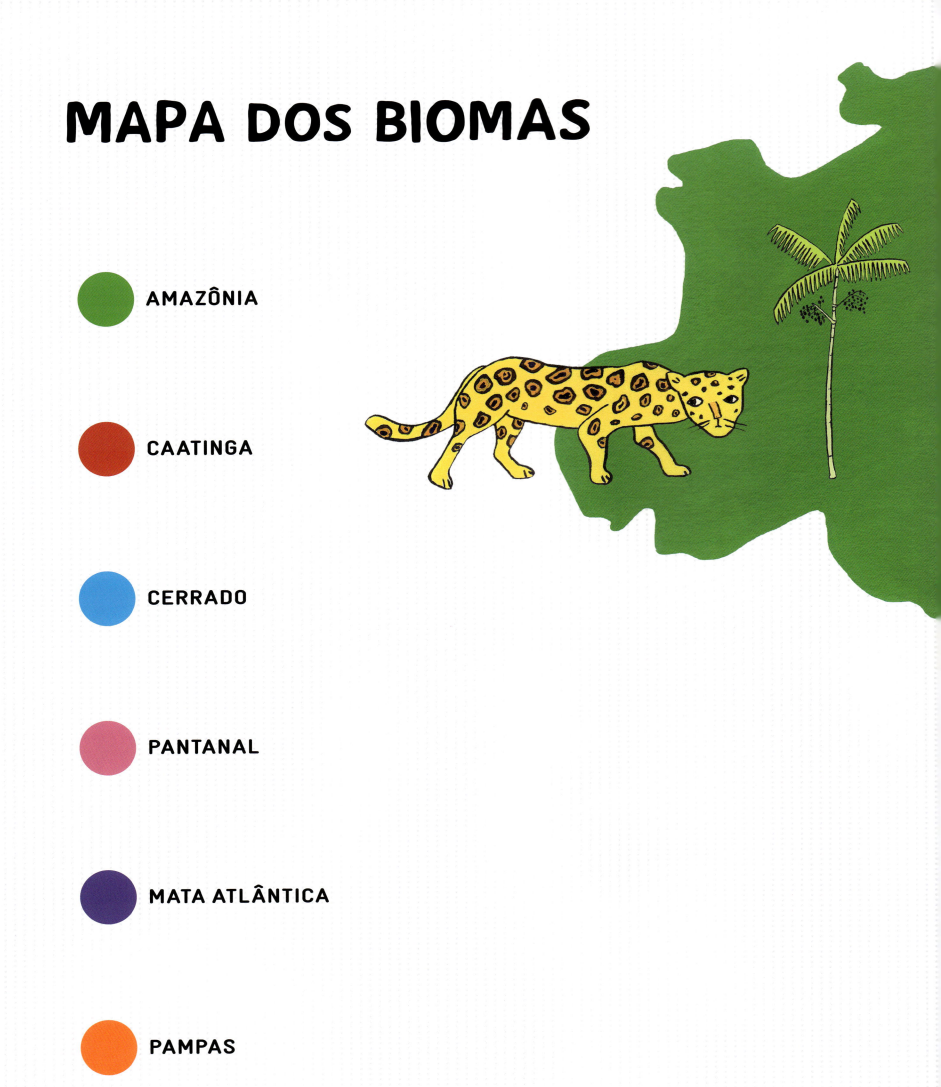

GILLES EDUAR

QUANDO PUBLIQUEI MEU PRIMEIRO LIVRO, EM 1994, EU MORAVA NA FRANÇA E SENTIA SAUDADES DE UM PAÍS QUE NÃO CONHECIA TÃO BEM QUANTO AGORA, DEPOIS DE TER FEITO ESTE LIVRO.

TENHO MAIS DE TRINTA LIVROS PUBLICADOS, NO BRASIL E NO EXTERIOR. SEIS FORAM FEITOS EM PARCERIA COM A COMPANHIA DAS LETRINHAS: TRÊS DE AVENTURAS COM O CACHORRO NILO, UM SOBRE A GATINHA NINA E DOIS DE DIÁLOGOS — *INTERESSANTÍSSIMOS* E *FABULOSÍSSIMOS* (TAMBÉM PUBLICO DIÁLOGOS MENSALMENTE NA *FOLHINHA*).

GOSTO DE ESCREVER HISTÓRIAS MAS TAMBÉM GOSTO MUITO DE INFORMAÇÕES GERAIS, PRINCIPALMENTE GEOGRÁFICAS E CIENTÍFICAS. NESSE SENTIDO, FAZER ESTE LIVRO FOI MESMO UM GRANDE PRAZER!

MARIA GUIMARÃES

QUANDO ENTREI NA FACULDADE, ESCOLHI BIOLOGIA PORQUE QUERIA APRENDER TUDO O QUE PUDESSE SOBRE TODAS AS COISAS DA NATUREZA. ISSO FAZ MUITO TEMPO, MAS CONTINUO APRENDENDO TODOS OS DIAS. DESCOBRI QUE GOSTO MESMO É DE CONTAR PARA TODO MUNDO COMO ESSAS COISAS SÃO INTERESSANTES, E É CLARO QUE ADOREI FAZER EXATAMENTE ISSO NESTE LIVRO! MEU FILHO, O GIL, JÁ NASCEU GOSTANDO DE BICHOS E DE PLANTAS, E MESMO TENDO SÓ UM ANINHO PRESTA ATENÇÃO EM TUDO E É MUITO CURIOSO!

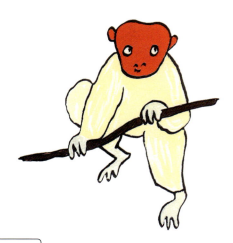

A marca FSC® é a garantia de que a madeira utilizada na fabricação do papel deste livro provém de florestas que foram gerenciadas de maneira ambientalmente correta, socialmente justa e economicamente viável, além de outras fontes de origem controlada.

Esta obra foi composta em Gravur e impressa em ofsete pela Gráfica Santa Marta sobre papel Couché Design Gloss da Suzano S.A. para a Editora Schwarcz em abril de 2025